Lucie et sa Licorne

Lucie et sa Licorne

Dana Simpson

Traduit de l'anglais par Chloé Seyrès

EDITIONS

INTRODUCTION

j'aimerais tant dire que je suis, au moins en partie, à l'origine de Rosemarie de Céleste Museau, la licorne à la fois innocente et arrogante qui se pavane, de façon si charmante, tout au long de cette délicieuse bande dessinée, créée par Dana Simpson.

Et peut-être puis-je le dire. Après tout, des articles universitaires ont bien démontré qu'avant mon roman de 1968, *La dernière licorne*, il n'existait aucune trace de licorne femelle dans les différentes mythologies du monde. Et dès les premières pages de ce livre, j'ai bien écrit que « les licornes sont immortelles. Leur nature les incite à choisir un endroit où elles vivront isolées : la plupart du temps, une forêt avec un étang dont l'eau est assez claire pour s'y mirer − car elles sont quelque peu suffisantes et se savent les créatures les plus belles de l'univers, et magiques de surcroît ».

Quelque peu suffisantes… Rosemarie ne serait qu'un monstre à l'orgueil démesuré, totalement égocentrique et foncièrement antipathique, si elle n'était pas dotée d'un tel sens de l'humour et d'une capacité de compassion surprenante, bien qu'occasionnelle. Ces deux qualités sont essentielles lorsqu'on se retrouve liée par des vœux à une fillette de neuf ans, en quête d'une meilleure amie avec qui jouer aux super-héroïnes imaginaires, faire des soirées pyjama, partager des potins, et cavaler au vent après s'être fait traiter de geek et de Princesse Moldubulbe une fois de trop. Car Lucie est une petite fille particulièrement vraie, aussi vive et imaginative que Calvin de Bill Watterson[1], aussi touchante et vulnérable que Charlie Brown de Schulz[2]. Et si les noms que j'évoque vous semblent bien

1 *Calvin et Hobbes* de Bill Watterson.
2 Personnage de *Snoopy et les Peanuts*, par Charles M. Schulz.

grands, j'irai même plus loin en affirmant que, pour moi, *Lucie et sa licorne* n'est rien de moins que la meilleure bande dessinée à avoir vu le jour depuis *Calvin et Hobbes*. Dana Simpson est tout aussi talentueuse et originale.

Le charme de *Lucie et sa licorne* repose en partie sur la façon dont Dana Simpson met en opposition les visions du monde de ses deux personnages – l'une immortelle, l'autre contemporaine – et leur ego : celui de Lucie, bien déterminée à être reconnue comme « génialissime », est presque aussi démesuré que celui de Rosemarie, qui se place systématiquement au-dessus de l'espèce humaine tout entière. Elles sont au moins à égalité sur un point : elles adorent toutes les deux mettre le doigt où ça fait mal. Il existe une réelle affection entre les deux protagonistes, mais elle ne grandit que petit à petit. Dana Simpson prend son temps : elle garde un contrôle total et permanent sur son sujet, glisse habilement des références culturelles et fait évoluer les personnages et thèmes secondaires au fur et à mesure.

Il est tentant de citer chaque gag, chaque case, mais ce serait une mauvaise idée. L'émerveillement ne se raconte pas, il se vit ; pour reprendre la définition de Robert Frost : la poésie est ce qui se perd dans la traduction. Je vous suggérerai tout simplement de lire *Lucie et sa licorne* au plus vite.

Tout de suite, par exemple !

— Peter S. Beagle, l'auteur de *La Dernière Licorne* (1962)
Oakland, Californie
Septembre 2013

Désolée pour le galet. Je—

Pas de mal !

J'étais captivée par mon propre reflet !

Je suis si belle que quand je me vois, je ne peux détourner les yeux pendant des jours.

J'ai une dette envers toi, créature moins séduisante.

De ri—

Quoi ?

Je t'accorde un vœu pour m'avoir sauvée.

Tu peux souhaiter tout ce—

Je veux des SOUHAITS À L'INFINI.

C'est impossible.

Des sous à l'infini ?

La paix dans le monde n'est même pas dans ton top 2 ?

Je suis en CM1.

Bon, je pense avoir un vœu que tu peux réaliser.

Je souhaite que TU deviennes ma MEILLEURE AMIE.

Ou sinon... un peu d'or ?

Hé, j'vais te faire des tresses !

Si on devient meilleures amies, t'auras besoin de tout connaître sur moi.

Je suis née dans un palais doré, au milieu d'une kyrielle d'anges-papillons, qui chantaient mon avènement et la nouvelle ère qui s'annonçait.

Et mon deuxième prénom, c'est Danger.

Tu es née à l'hôpital Harbor[1] avec une légère jaunisse, et ton deuxième prénom est « Grizelda ».

1 Hôpital dans la banlieue de Los Angeles.

Comment t'as—

Licorne.

On va faire tellement de choses ensemble !

Mais pour COMMENCER, j'vais te balancer à la tronche de Dakota la crâneuse.

Pas littéralement.

Ouf !

Demain pendant l'exposé, j'me lèverai et j'dirai : « Laissez-moi vous présenter MA MEILLEURE AMIE, ROSEMARIE DE CÉLESTE MUSEAU ! »

À ce signal, tu entres par la fenêtre d'un bond aérien, laissant derrière toi une traînée d'étoiles.

Tu as peut-être un problème, toi.

J'ai besoin que tu BRILLES. J'ai apporté des paillettes et de l'huile...

LE LENDEMAIN

Exposés !

Pour le premier exposé, nous allons écouter Lucie !

hmm J'ai un truc TRÈS TRÈS TRÈS spécial et important !

SÉRIEUX, vous avez intérêt à être bien assis.

...

Euh. Bien. Continuons.

Chers camarades, voici ma meilleure amie, la LICORNE...

ROSEMARIE DE CÉLESTE MUSEAU

Exposés !

dana

Tousse CINGLÉE *Tousse*

Drapée de son INCROYABLE VOILE D'INVISIBILITÉ !

Maudite licorne... qui me fiche la honte devant TOUT LE MONDE.

Snif

J'suis une licorne! J'suis une grosse patate qui s'la pète. Je vais gâcher la vie de Lucie sans raison parce que je crains!

Elles devraient s'appeler DÉBILICORNES.

Ou... PIPI-cornes!

Hi hi hi ! Pipi.

Voilà. Je t'ai encore sauvée de ton reflet débile.

Quoi ? Où suis-je ?

Oh, bonjour.

T'as raté ton entrée !

Tu es fâchée.

dana

Comment t'as deviné ?

POUVOIRS DE LICORNE.

Je voulais que les autres enfants
pensent que je suis spéciale.
On se sent seul à être ignoré.

On se sent
seul aussi
quand on
est spécial.

Les licornes sont rares. Je suis
seule la plupart de mon temps, à me
contempler dans des étangs de cristal.

Alors on
n'est pas SI
différentes !

Je vais faire comme si
je n'avais rien entendu.

J'comprends pas. J'ai amené une **LICORNE** pour l'exposé, et je ne suis pas plus populaire qu'avant.

Oh, c'est sûrement à cause du **FILTRE DE PLATITUDE**

Le filtre de platitude?

Non, non. Le **FILTRE DE PLATITUDE.**

Le filtre de platitude.

Je te pardonne ton accent.

Le FILTRE de PLATITUDE est un petit sortilège qui permet aux licornes de rester un « mythe ».

Les humains qui nous voient ne jugent pas cela assez important pour en parler.

Nous pouvons ainsi vaquer à nos occupations de licornes sans être dérangées.

Je ne te dérange pas ?

Moins que la plupart des machins roses sans poils.

Je sais que si j'étais une licorne, j'en profiterais À FOND.

Pas de «*filtre de platitude.*» Je déverserais ma *génialité* sur TOUT LE MONDE.

Et j'utiliserais ma corne pour faire griller des guimauves, préparer des kebabs et ENQUIQUINER les gens.

Il y a peut-être une raison, si tu n'es pas une licorne.

J'enquiquine DÉJÀ les gens. Mais c'est moins rigolo.

Jamais eu de rêve qui ne se soit pas effacé

Jamais eu de licorne qui m'invite à jouer

Jamais eu d'amie pour partager les bons moments

Une Princesse de Banlieusie qui danse, rit et chante

Jamais été la moitié d'un tout qui file sous les cieux

Jamais eu personne qui me dise :

"C'EST À NOUS DEUX."

Jamais plus seules au monde, ni le jour ni la nuit

Une princesse et une licorne l'ont enfin compris.

Ici, il est écrit que « licorne » veut dire « une seule corne ».

C'est une erreur courante.

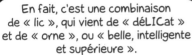

En fait, c'est une combinaison de « lic », qui vient de « déLICat » et de « orne », ou « belle, intelligente et supérieure ».

C'est FAUX.

Très bien, alors je ne te dirai pas ce que « hennissimer » signifie réellement.

UNE PYJAMA PARTY.

ÇA, c'est un truc de meilleures amies.

Oh, je suis incollable en pyjama parties !

Je vais préparer la potion de sommeil.

Puis nous aurons besoin d'une carte des points d'eau de la ville.

Il se pourrait qu'on ne pense pas à la même chose.

À ton tour !
Raconte-moi un potin
flamboyant !

Tommy s'est fourré
la gomme verte de Dakota
sous l'aisselle, et elle a pas
voulu la récupérer !

J'connais pas le mot
que t'as dit.

Ce n'est qu'un problème
parmi tant d'autres...

DANS CETTE VILLE, LES CRIMINELS *NE SE REPOSENT JAMAIS.*

Et c'est pareil pour...

LUCYSTÉRIA !

CETTE NUIT, ELLE EST CONVOQUÉE POUR AFFRONTER SON *PIRE ENNEMI, la MENACE BESTIALE...*

SUPER POINTUE.

Je t'ai apporté un COOKIE!

Tu vois ? Je SAVAIS que tu serais nulle en méchante.

Alors, rends-moi donc mon cookie.

Et là, il dit : « *LE CRI VIENT DE L'INTÉRIEUR DE LA MAISON !!!* »

VLAAANN!

Tu abandonnes déjà la bataille?

C'était carrément plus flippant que **MON** histoire.

B'nuit, ma puce.

Dis bonne nuit à ma licorne !

Bonne nuit, licorne de Lucie.

Non, non, non. Fais ça CONVENABLEMENT.

Dis : « Que les fées te bercent en chansons, ô princesse des merveilles éthérées, des lumières et des sucreries. »

NON !

Si nous commençons à faire chanter des fées, elles continueront jusqu'à nous rendre FOLLES !!

Alors juste « bon'nuit, Rosemarie ».

Ça y est, Rosemarie.

Cet été, je suis assez grande et courageuse pour sauter du ROCHER perché.

... Rosemarie?

Je suis ici!

Je suis prête pour la baignade!

FWIP FWIP FWIP

HI HI HI HIII

HA HAHAHAAAAAA

Mon tuba ne va pas avec mes palmes?

MEILLEUR ÉTÉ DU MONDE!

M'man dit que ça s'appelait « Kaboums Choco » avant, mais maintenant les gens doivent avoir l'illusion que tout est sain.

Je déclare notre pyjama party terminée. Quel succès !

Et je dois avouer que c'est une de mes plus belles réussites !

La **MIENNE**, c'est quand j'ai découvert la couleur bleue.

Personne avant toi n'avait jamais vu de bleu ?

Pas à ce que **JE** sache.

Un pion, ça se déplace pas comme ça.

plink

Elle, c'est PIONITA, LA PRINCESSE MAGIQUE QUI FLÂNE SUR L'ÉCHIQUIER.

Tu viens de l'inventer.

Tu pourrais être mon acolyte! Tous les grands détectives en ont un!

TOI, tu pourrais être MON acolyte.

Très bien, réglons ça de façon démocratique.

Excellent!

Que toutes celles qui sont pour Rosemarie l'acolyte lèvent la main!

Ou à « pierre-feuille-ciseaux » ?

Les ciseaux coupent la feuille ! Tu gagnes !

Viens-tu d'intervertir pour me laisser gagner ?

Nan, je l'avais juste mal fait.

On pourrait enquêter sur cette magie énigmatique qui naît des reflets du soleil sur les boutons d'or couverts de rosée, au milieu des vallées boisées ?

Avant, j'avais un embout de crayon éléphant!

Il a **MYSTÉRIEUSEMENT** disparu le mois dernier.

VOILÀ sur quoi on va enquêter.

Des pistes?

Je soupçonne mon **ENNEMIE JURÉE** de me l'avoir volé.

Tu as une ennemie jurée?

'Faut bien, sinon, où est mon embout de crayon?

DING-DONG

Bonjour ?

Est-ce que Dakota est là ?

Es-tu une de ses amies ?

En fait, c'est mon ennemie jurée.

Un petit instant.

DAKOTA, UNE PETITE FILLE BIZARRE ET UNE LICORNE AVEC UN CHAPEAU DE SHERLOCK HOLMES SONT VENUES TE VOIR !

PRINCESSE MOLDUBULBE ?!

Je te soupçonne de VOL.

Mais bien sûr.

Que voulez-VOUS, votre majesté?

J'ai un mandat pour fouiller ta chambre.

C'est qu'une feuille de papier avec « mandat » écrit dessus.

Je t'avais DIT qu'on aurait dû s'appliquer davantage pour le mandat.

T'as publié cette photo en ligne.

On voit CLAIREMENT un embout de crayon éléphant sur ton bureau, IDENTIQUE à celui que j'ai mystérieusement perdu.

Et ?

Et c'est le moment où mon brillant travail de détective te fait plier comme un origami !

T'es cinglée.

Et TOI, tu joues mal !

Nan-an!

Nan-an!

Si-si!

Si-si!

Les enfants, je crois pouvoir régler cela équitablement.

Dakota, puisque tu as pris l'embout de crayon de Lucie...

Je vais lui donner ton embout à TOI.

ZZZZAP

AAA AAH!

BEEE ERK!

Bon, tout le monde est content?

AAAAAAAAAAAA!

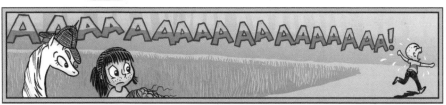

AAAAAAAAAAAAAAAAA!

Elle est contrariée!

Tu lui as **ZAPPÉ LES CHEVEUX.**

Est-ce très grave?

OUI!

Vous, humains, n'avez **PRESQUE PAS** de poils de toute façon. Je ne savais pas que vous teniez tant au peu que vous aviez.

Je crois que... je comprends ta logique, mais...

Qu'est-ce qu'un mini-bout de rose en plus dans un ignoble océan de chair humaine?

Tu te rappelles ce que je t'ai dit sur la nécessité de savoir quand se taire?

On doit retrouver Dakota et arranger ses cheveux!

D'accord.

Sa forte émotion pourrait menacer l'équilibre du FILTRE de PLATITUDE.

Alors je crois qu'on a une nouvelle affaire!

... Décrochée en nous plantant royalement dans l'enquête initiale.

C'était juste un échauffement.

*Oiseaux.

Heureusement que j'ai pas à marcher à quatre pattes.

Quatre pattes, c'est TELLEMENT mieux.

Je CHOISIS de ne pas me tenir sur deux pattes. Je pourrais.

Qu'est-ce que t'en sais?

Prouve-le.

Regarde.

CHTAK

C'était même pas calculé.

Vois-tu? Et maintenant, SANS les pattes!

J'ai besoin que tu fermes les yeux pendant que j'exécute le RITUEL D'INVOCATION DE LICORNE.

Amène-toi. Tout de suite.

T'envoies juste un texto.

Je t'ai dit de fermer les yeux.

Et, heu, c'est chouette ici.

C'est mon endroit préféré.

C'est là où tu médites?

Où je « médite »?

Ouais, où tu penses à des choses SÉRIEUSES.

Est-ce que j'ai une tête de NERD?

Tu ressembles un peu à Lex Luthor, mais j'crois pas que ça aide.

Me voilà!

Peuh.

Mazette! L'heure est grave.

De quoi?

Le choc qu'a reçu Dakota en perdant ses cheveux a transformé le FILTRE de PLATITUDE en quelque chose de BIEN pire...

L'HORRIBLE VORTEX DE PEUH.

T'es en train de tout inventer?

Dakota, Rosemarie dit qu'elle peut arranger tes cheveux.

Peuh.

Nous devons faire quelque chose ! Le **VORTEX DE PEUH,** s'il n'est pas enrayé, va devenir une spirale incontrôlable !

Saisis-tu l'ampleur du chaos qui s'abattrait sur le monde ?

Peuh.

Tu VOIS ?

Hii ! Nous DEVONS faire quelque chose !

Bon, puisque t'es amie avec une licorne, je ne t'appellerai plus « Princesse Moldubulbe ».

Merci.

Et puis, merci de ne jamais m'avoir appelée « Lucie cui-cui ».

Ou « Lucie l'abrutie ».

Vous me fatiguez, toutes les deux.

J'pense que Dakota a quand même compris la leçon, nan ?

Elle ne me piquera plus jamais mon embout de crayon éléphant.

Je vais noter ça dans mon journal intime.

C'est moi, la méchante ?

Tu es une énigme.

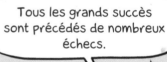

Dakota est certes désagréable...

Mais, comme toi, elle a désormais vu à travers le FILTRE de PLATITUDE.

Si bien que nos destins sont liés...

À TOUT JAMAIS.

À tout jamais ?

Ou juste quelque temps. Ce n'est pas une science exacte.

Celui qui a contemplé une licorne et qui se sent ensuite rejeté peut devenir vraiment dangereux.

Ainsi, le mois prochain, je dois laisser Dakota arriver à sa fête d'anniversaire sur mon dos.

Sauf que JE ne suis pas invitée, c'est ça?

Tu ES invitée.

Pourquoi faut-il que j'y aille?

Je décèle une certaine ambivalence.

Je crois que je suis déçue. J'veux que tu sois MA licorne, pas celle de Dakota.

Oh. N'aie crainte. Je rends un service à Dakota, mais TU restes ma meilleure amie.

Je suis TA licorne.

Merci.

Et tu es ma petite créature avec des points sur la figure.

On dit « taches de rousseur ».

Quoi qu'il en soit, oublie Dakota pour le moment.

Combien de temps ?

Quoi ?

Je dois connaître la durée du sort d'effacement de mémoire temporaire que je me lance.

Pourquoi les licornes prennent-elles toujours tout au sens propre ?

Pourquoi les humains sont-ils toujours aussi fantasques ?

Dakota a quatre mois de plus que moi, pourtant je suis pas la plus jeune de la classe. J'ai un mois de plus que Jimmy et deux de plus que Nathan.

T'as quel âge, Rosemarie?

Je ne sais pas.

Tu sais pas?

Les licornes n'ont pas le même rapport au temps.

Alors comment sais-tu si t'es meilleure que les autres?

S'ils ne sont pas moi, cela me semble évident.

Est-ce que mes fesses seraient plus élégantes avec une queue comme la tienne?

Il y a des chances.

Tu crois?

Techniquement, c'est en crachant dans l'océan qu'on l'agrandit.

Je veux te présenter à mes parents.

Hé, Papa, j'invite ma meilleure amie à dîner ce soir.

Elle est végétarienne. Et elle n'aura pas besoin de chaise ni de couverts.

Non! Je suis sûre à 99 % qu'elle n'est pas imaginaire.

Tu n'as pas dit à ton père que l'amie qui venait chez toi est une licorne.

Je doute qu'il m'aurait crue.

J'ai pas beaucoup d'amis. Et t'es du genre PEU BANAL.

Du genre qui te laisse t'asseoir sur elle.

Mes autres amies n'étaient PAS d'accord avec ça.

Puisque je vais dîner avec tes parents, y a-t-il des coutumes humaines que je devrais connaître?

Tout ce que je peux faire, c'est te donner le conseil que ma mère me donne toujours.

« Ne mange pas comme ça. On ne t'a pas élevée dans une grange. »

... Cela fait-il une différence si c'est une GRANGE MAGIQUE EN OR?

C'était pas l'information principale.

109

110

Salut, ma puce.
Et Rosemarie.
Heureuse de
te revoir.

Papa, je te présente mon amie,
ROSEMARIE DE CÉLESTE
MUSEAU !

Enchanté.

Pourquoi tes parents
ne m'ont-ils pas
encore offert
de nectar au rayon
de lune ?

Elle est
propre, au
moins ?

Ouais, quelle brillante idée j'ai eue.

Donc, Rosemarie, tu es une licorne.

Oui.

Et si j'abaissais mon **FILTRE de PLATITUDE** magique, vous seriez béats d'admiration.

Vraiment?

Au point que vous seriez BÉATS devant tant de béatitude.

Je couvre ma somptuosité par altruisme, pour vous protéger.

Mmh, merci.

Tu es très jolie.

Oui, je sais !

Même les étoiles sont jalouses de ma splendeur.

Les saisons vont et viennent, les montagnes s'élèvent et s'écroulent, mais ma beauté rayonne à jamais.

Autre chose sur moi...

Ça a beau s'appeler une pointe d'asperge, je pense pas pouvoir faire grand mal avec.

117

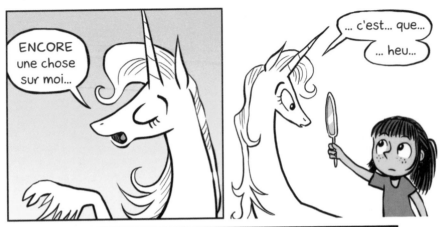

Parle de ton travail à Rosemarie, Pa'!

Je suis administrateur système.

Je t'avais dit de lui dire que t'étais le roi du Danemark!

Oui, et je t'ai ignorée.

Je peignais beaucoup avant. Mais j'ai été trop occupée ces dernières années.

BOÎTE D'ART

Et puis votre fille a ramené une licorne à la maison.

Et pour la première fois, je suis CONTENTE de l'avoir faite.

Blague de mauvais goût.

Les licornes n'en ont pas de telles.

Et CECI est ma liste des trucs où tu devrais être plus cool.

Pas vrai, Rosem...

Où est partie Rosemarie ?

Ta mère voulait la peindre.

M'MAN, RENDS-MOI MA LICORNE !!!

Je suis secrètement cool.

Vite, Chasseur d'Orages!
Nous devons trouver
le GLOBE DE GENTILLESSE
avant Cacophonie.

Tu as l'air pensive.

C'est la première fois que je joue aux petites licornes avec une vraie licorne.

C'est un peu... je sais pas...

Abyssal?

Stressant.

Je pensais que tu VOULAIS que tes parents m'apprécient.

C'est pourquoi j'ai graduellement soustrait le FILTRE de PLATITUDE pendant la soirée.

À un moment, j'ai posé un FILTRE D'AGACEMENT parce que j'ai oublié de multiplier par 5...

J'ai ajouté le FILTRE de DISTRACTION ENFANTINE, puis le FILTRE de LÉGER INTÉRÊT, et enfin le FILTRE de LA NOUVEAUTÉ INTRIGANTE.

Ça m'arrive, parfois.

Alors t'aimes mes parents, hein?

Oh oui.

Tu les aimes PLUS que moi?

Bien sûr que NON.

À quel POINT tu m'aimes plus qu'eux?

Je veux des pourcentages!

T'es chou quand tu manques désespérément de confiance en toi.

Les vacances d'été sont presque finies, et j'ai l'impression qu'elles viennent à peine de commencer.

J'ai fait AUCUN des trucs marrants que j'avais prévus...

Tu as passé l'été entier sur le dos d'une licorne magique.

En fin de compte, c'est un été réussi.

Hormis que tu as marché pieds nus sur une grosse limace.

Pa', la vie ressemblait à quoi avant Internet ?

Je savais que ce jour viendrait.

Ce jour où tu poserais des questions sur les **TEMPS RÉVOLUS.**

C'était une ère sombre et violente, où les machines à écrire sillonnaient les terres, dominées alors par l'**IGNORANCE** et l'**ENNUI.**

C'était **TRÈS DUR** de perdre son temps à regarder des vidéos de chats.

J'vais jouer dehors.

Dehors ! Je me souviens du dehors.

Miaou

Aïe!

Ne bouge pas,
si tu veux être présentable pour
la fête de ton amie.

Dakota
n'est PAS
mon amie.

Tu veux quand
même être
jolie, non?

Je veux qu'en me VOYANT,
Dakota soit saisie d'une
TERREUR EXISTENTIELLE.

Une tresse
africaine ne
va peut-être
pas suffire.

Tu pourrais sortir
les crocs de
vampire en plastique
d'Halloween?

Pourquoi personne n'a l'air super impressionné?

J'ai essayé de te l'expliquer. C'est le FILTRE de PLATITUDE.

Sa magie nous rend TOUTES DEUX insignifiantes.

Je ne suis pas insignifiante! C'est MON ANNIVERSAIRE!

Si tu voulais te faire remarquer, tu n'aurais pas dû faire ton entrée à dos de licorne.

Que s'est-il passé avec Dakota?

Je refuse de lui parler.

Ce qui **EN SOI** serait tragique pour elle, puisque je suis flamboyante.

Ça veut dire « difficile à vivre »?

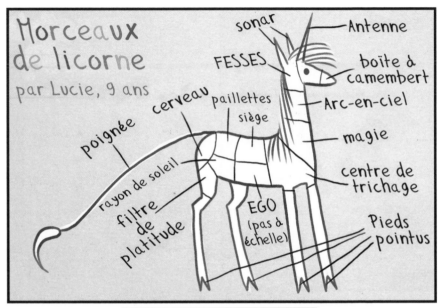

Dakota voulait ce que TOUS les humains désirent au début.

Elle voulait utiliser mon *exceptionnalité radieuse* pour se mettre en avant.

Quand j'ai refusé de l'aider, elle m'a traitée de « pointilleuse ».

Choix de mots maladroit.

Je suis TRÈS fière de ma *pointitude*.

Et celui-ci est de... Ah. Rosemarie et Lucie.

Voyons quelle bizarrerie elles...

Était-ce un cri d'extase ?

Ça lui en a PRIS, du temps.

Qu'est-ce donc que ce gros truc jaune ?

SCHOO

Un bus scolaire. Avant que t'arrives, j'allais à l'école avec.

Je suis bien plus jolie.

Et beaucoup plus confortable à l'assise.

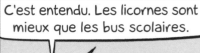

C'est entendu. Les licornes sont mieux que les bus scolaires.

Ça l'était pas déjà ?

J'étais dedans tous les jours pendant neuf mois, et je vais passer devant la porte tous les jours des neuf prochains...

Il y aura d'AUTRES enfants dans mon ancienne salle de classe.

Mais je n'y **RENTRERAI PLUS JAMAIS.**

Petite pointe de regret ?

C'est toi, la pointe.

C'était ma classe quand on s'est rencontrées.

C'est la même classe, mais PAS la même.

Tu es la même personne, mais PAS la même.

Il est trop tôt dans l'année scolaire pour avoir à réfléchir aussi fort.

Je viendrai te chercher après l'école.

Tu restes pas dans le coin?

J'ai de **GRANDES AFFAIRES DE LICORNE** à régler.

Tu vas pas aller manger le terrain de foot, quand même?

Certainement pas. Des ENFANTS se sont traînés dessus.

Dr Lucie à la recherche de traces d'anciennes civilisations.

Elle passe le bureau au peigne fin pour trouver des signes de CM1 des années précédentes.

Les marques indiquent un roi, de l'ère du métal.

Un monarque du nom d'OZZY.

DRRRRRIIINNGG

La première sonnerie de l'année, c'est toujours la plus dure.

J'ai déjà un CONTRÔLE D'ORTHOGRAPHE.

Après on m'attribuera un BINÔME D'ORTHOGRAPHE avec qui m'entraîner.

Je serai obligée de passer du temps avec un enfant que je CONNAIS À PEINE.

Sans commentaire.

Moi, c'est Max. Je crois que t'es mon binôme en orthographe.

J'ai rencontré mon nouveau binôme d'orthographe aujourd'hui.

Comment était-ce ?

Super !

Alors pas SI super.

Plutôt horrible, en fait.

J'ai... emprunté ses lunettes sans demander, et après je lui ai ordonné d'épeler mon nom.

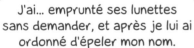

Il n'était pas censé pleuvoir aujourd'hui.

Vous, humains, vous ne contrôlez pas le temps.

En général, on le prévoit suffisamment bien pour pas se retrouver coincés sous la pluie.

Mais, au final, vous restez à sa merci.

Cela t'apprendra peut-être l'humilité.

Je n'ai aucune leçon d'humilité à recevoir de TOI.

Je peux continuer toute la journée.

L'humour de licorne, ça manque de subtilité.

Cela fait longtemps que nous sommes amies.

Que tu m'observes et profites de ma magie.

Sers-toi de cette expérience pour DEVENIR une licorne.

Je tortille des fesses et j'me la pète! Venez tous voir comme j'me la pète!

Quand tu auras fini d'agir bizarrement, préviens-moi.

LE LENDEMAIN

licorne intérieure
licorne intérieure
licorne intérieure

Prête pour notre révision d'orthographe?

PPPRRFT

Délire.

File! Je parie que j'peux cracher encore plus loin.

Les licornes, c'est une chose. Les garçons, c'en est une autre.

« Tomber » veut dire s'étaler, dans la gadove, le nez en premier.

Ou tomber des cordes, pour rendre mon monde plus boueux et mouillé.

Ça peut vouloir dire tomber du ciel, de façon inespérée, mais par pitié,

J'ignorais que ta queue savait faire ça.

Je suis encore plus géniale qu'on le croyait.

Regarde où tu mets les sabots, car tomber de haut, c'est vite arrivé.

Mais quand les ombres s'allongent, que, dans la brise, les feuilles frissonnent...

Je fais honneur aux majuscules en savourant les senteurs d'AUTOMNE.

J'ai une leçon de piano après l'école.

J'aurais pu avoir fini les cours, mais NON! Au lieu d'être libre, j'ai encore PLUS d'école.

Alors que je m'en croyais sortie, voilà qu'on me ramène en arrière.

Est-ce une réplique tirée d'un film?

Ouais, sûrement.

T'es-tu entraînée cette semaine, Lucie ?

Je me suis **PRESQUE** entraînée.

Presque entraînée.

J'étais à ÇA près.

Je suis sûr que tes parents sont presque fiers de toi.

J'en suis presque certaine.

Bon, à la troisième mesure, tu—

Vous êtes censé m'apprendre ça ?

J'ai lu que les Beatles ne savaient pas lire la musique. Les grands du jazz non plus.

N'êtes-vous pas en train de détruire mes chances de devenir une LÉGENDE ?

Quel diable.

Je l'avais deviné à votre moustache.

Tu pourrais pas... me **ZAPPER** un peu de talent musical?

Tu me demandes de t'aider à tricher pour tes leçons de piano?

S'il te plaît !

Tu ne possèdes rien que je désire.

Non, mais je parie qu'il y a plein de trucs que t'aimerais que j'arrête de faire.

Touchée.

Je ne peux t'insuffler par magie une connaissance que je n'ai pas moi-même.

Mais tu as de la chance, je suis une pianiste **FORMIDABLE.**

Toi?

Pourquoi est-ce si surprenant?

Tu n'as pas de doigts.

Je suis une virtuose de la queue.

La Licorne à fesses blanches du Nord-Ouest, la *Rostrum caelestis*. Une espèce rare.

Remarquez la suffisance de son expression, l'air supérieur qui se dégage de son langage corporel, la courbure même de sa queue qui ressemble à un sourire narquois.

Observons-la.

Depuis quand parles-tu latin ?

Pas besoin de connaître quoi que ce soit, j'ai un téléphone.

À ta prochaine leçon de piano, je me tiendrai à l'extérieur...

Je laisserai ma magie musicale couler en toi.

Ton professeur sera **STUPÉFAIT.**

T'as dit que tu jouais du piano avec ta queue. J'ai PAS de queue.

J'en tiendrai compte.

LA SEMAINE SUIVANTE

Arrête de jouer avec la tête.

Pourquoi je continue d'écouter cette maudite licorne ?

Bon, mon prof de piano ne me jette plus de regard noir quand je ne m'entraîne pas.

Maintenant, il croit juste que je suis **DÉBILE**.

GENRE.

Quoique... je t'ai laissée me manipuler au point de jouer du piano avec ma tête.

C'était hilarant.

Jadis, les magasins de disques étaient des mines de culture et de style.

TOI, tu sembles acquérir et écouter de la musique avec ce petit carré en plastique.

La jeune humaine que tu es n'apprécie probablement pas les disquaires à leur juste valeur.

HÉ GAMINS, DÉGAGEZ DE MA PELOUSE !

D'ailleurs, **TA** pelouse est délicieuse.

Choisis un disque à écouter ou on nous demandera de partir.

'M'en fiche.

Les magasins de disques, c'est ennuyeux et ça sent pas bon.

ÇA, par contre, c'est trop GÉNIAL.

Licorne.

On écoute mon prof de piano ?

Oui.

Mais il est vieux et bizarre.

Tu es JEUNE et bizarre.

Et MOI, j'ai pas de disque !

T'avais tout prévu ?

Prévu quoi ?

Tu m'as amenée **PAR HASARD** chez un disquaire, où on est tombées **PAR HASARD** sur l'album de mon prof de piano.

T'essaies de me rouler pour que j'apprenne un truc ?

Je dirais que tu me surestimes, si c'était possible.

Je reste persuadée que la grande musique n'a pas besoin d'être compliquée.

TROIS ACCORDS ET LA VÉRITÉ !

Je cherche quelques accords.

Tu devrais aussi tenter de regarder la vérité en face.

coutez bien, car ceci est une prédiction.

ne licorne et une jeune fille feront ensemble un long périple qui les mènera au sommet du monde.

ebout sur la cime, la fille brandira dans les airs un talisman magique.

insi plongera-t-elle sa main dans la rivière de la connaissance.

Pourquoi n'ai-je toujours pas de signal, même ICI ?

La prophétie que nous avons inventée ce matin s'est presque-mais-pas-tout-à-fait réalisée.

On est déguisés et on fait du porte-à-porte pour récolter des bonbons.

Chez nous, il y a un jour similaire.

Vous l'appelez comment ?

LE JOUR DE TOUS LES BONBONS ET LES DÉGUISEMENTS.

« Halloween », ça sonne mieux.

Oui, je vais commencer à dire ça à la place.

Tu pourrais m'amener récolter des bonbons chez TOI?

Demande recevable.

YEAH!

Tes autres amis vont découvrir l'humaine géniale avec qui tu traînes maintenant!

Nous allons devoir te trouver une **TRÈS** bonne couverture.

« Déguisement ».

Et si je me déguisais en **CAVALIÈRE DE L'APOCALYPSE ?**

Trois choses.

D'une, les cavaliers sont **QUATRE**. De deux, je ne suis **PAS** un cheval.

Ça fait que deux.

« **NON** », ça compte ?

Qu'est-ce qu'on fabrique ICI?

Tu m'as textotée en me demandant de t'apporter des **MONTAGNES**.

Une requête impossible, mais digne d'une princesse.

J'ai donc opté pour le deuxième meilleur choix..

Et t'ai amenée **À LA** montagne!

Je t'ai dit de me ramener mes MITAINES.

Enfin, je CROIS que..

CORRECTEUR POURRI.

Jolie vue, par contre.

GRA. GRA GRA GRA GRA GRA.

GRA.

Tiens-t'en aux bonbons, Todd.

201

M'man, je peux pas aller à l'école aujourd'hui! Je suis malade!

T'as pas l'air.

C'est une maladie MENTALE.

J'suis devenue **BARJOOOO.**

Apparemment, les gens fous doivent quand même aller à l'école.

Même les fous ne sont pas obligés d'être bêtes.

Tiens, les oiseaux s'envolent vers le sud pour l'hiver.

J'ai essayé une fois, mais ça n'a pas marché.

Pourquoi ?

Les licornes ne peuvent pas VOLER, tiens.

Ah oui, suis-je bête.

208

Il ne reste qu'**UNE FEUILLE** à cet arbre depuis des jours.

Chaque jour quand on passe devant, j'**ESPÈRE TRÈS FORT** que je la verrai tomber.

Ça devient une obsession.

Peut-être que ta vie n'est pas assez palpitante.

Meuf, j'vais à l'école en **LICORNE**.

J'attends toujours que la feuille tombe. #LaDernièreFeuille

Pourquoi je me suis dit que ça serait plus intéressant de tweeter en direct?

Toutes les autres feuilles ont abandonné, mais celle-là est **TENACE**.

Elle s'en fiche d'être différente ou toute seule. Elle m'inspire.

Je bouge pas tant qu'elle a pas bougé non plus !

Sauf là, tout de suite, en vitesse.

Où vas-tu ?

La ténacité, c'est plus facile avec des moufles.

Me revoilà!
Est-ce que
la f...

Comme ça, les deux feuilles peuvent s'accrocher, ou tomber, ensemble.

C'est pas très subtil.

Sais-tu raccrocher les feuilles aux arbres ?

Nan-an.

Je gagne encore.

Pour aller plus loin...

Comment dessiner
Rosemarie

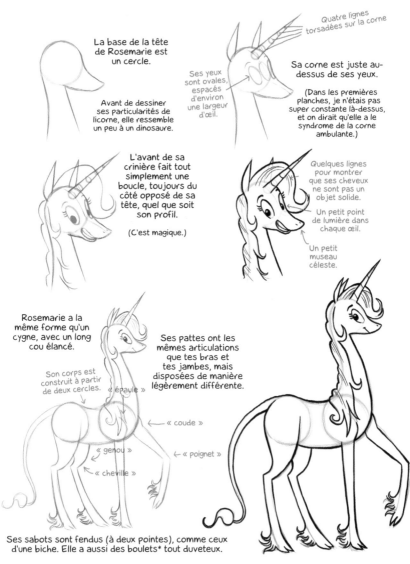

La base de la tête de Rosemarie est un cercle.

Avant de dessiner ses particularités de licorne, elle ressemble un peu à un dinosaure.

Quatre lignes torsadées sur la corne

Ses yeux sont ovales, espacés d'environ une largeur d'œil.

Sa corne est juste au-dessus de ses yeux.

(Dans les premières planches, je n'étais pas super constante là-dessus, et on dirait qu'elle a le syndrome de la corne ambulante.)

L'avant de sa crinière fait tout simplement une boucle, toujours du côté opposé de sa tête, quel que soit son profil.

(C'est magique.)

Quelques lignes pour montrer que ses cheveux ne sont pas un objet solide.

Un petit point de lumière dans chaque œil.

Un petit museau céleste.

Rosemarie a la même forme qu'un cygne, avec un long cou élancé.

Son corps est construit à partir de deux cercles.

« épaule »

Ses pattes ont les mêmes articulations que tes bras et tes jambes, mais disposées de manière légèrement différente.

← « coude »

« genou »

← « poignet »

« cheville »

Ses sabots sont fendus (à deux pointes), comme ceux d'une biche. Elle a aussi des boulets* tout duveteux.

* bas des pattes.

Comment dessiner Lucie

La tête de Lucie est un rond.

Elle a des yeux ovales et un petit nez pointu.

Elle a plein de traits dans les cheveux...

... qu'elle porte souvent en queue-de-cheval, mais pas toujours.

Un petit point de lumière dans chaque œil

Taches de rousseur !

Manque une dent !

À la différence de certains personnages de BD, Lucie ne porte pas les mêmes vêtements tous les jours.

Son corps aussi est construit à partir de deux cercles.

Quatre doigts, quatre orteils, comme beaucoup de personnages de BD.

Essaies-en ! Tu as un livre entier bourré d'exemples. Ou invente les tiens !

Fabrique une marionnette bâton de Rosemarie de Céleste Museau

MATÉRIEL : du papier cartonné ou une assiette en carton blanche ; des ciseaux ; un crayon ; un bâtonnet plat ; de la colle ; du Scotch ; de la laine.

INSTRUCTIONS :

 Photocopie ou décalque l'image de Rosemarie ci-dessous.

 Colorie l'image avec des feutres.

 Découpe l'image et colle-la sur le carton.

 Découpe le carton tout autour de l'image.

 Scotche l'image sur le bâtonnet.

 Colle des bouts de laine pour faire la crinière.

Fabrique
un flipbook animé

Les dessinateurs de bandes dessinées créent des histoires dans des cases de BD. Souvent, ces dessinateurs font aussi de l'animation. Un animateur doit capturer une large gamme de mouvements pour qu'un dessin animé ait l'air continu. L'animation est rendue possible par un phénomène qu'on appelle « persistance rétinienne » : quand une séquence d'images s'enchaîne suffisamment vite devant les yeux, le cerveau complète les trous, si bien qu'on a l'impression que le sujet bouge.

MATÉRIEL : des feuilles de papier, des fiches ou des Post-it ; une agrafeuse et des agrafes, des trombones ou des attaches parisiennes ; un crayon ou un feutre.

INSTRUCTIONS :

 Découpe environ 20 bandes de papier exactement de la même taille, ou utilise d'autres supports, comme des fiches ou des Post-it.

 Attache les feuilles ensemble avec des agrafes, des trombones ou des attaches parisiennes.

 Choisis un sujet, n'importe lequel : une balle rebondissante, Rosemarie qui court ou une étoile filante, par exemple.

 Dessine les trois images-clés pour commencer : la première sur la page 1, la dernière sur la page 20, et celle du milieu sur la page 10. Puis remplis les pages entre les images-clés.

Prépare des snacks à grignoter pour une pyjama party de licorne

Même si l'herbe riche et tendre reste la nourriture préférée de Rosemarie, on ne peut pas faire de pyjama party sans quelque chose à grignoter ! Voici des friandises délicieuses et faciles à faire.

INGRÉDIENTS :

1 paquet de biscuits apéro 3D (on dirait des cornes de licorne !), 1 paquet de biscuits salés en forme de poisson, un paquet de mini-bretzels ronds, 1 tasse de noix de cajou (ou de cacahuètes), 1 petite cuillère de mayonnaise et 1 de yaourt grec, un peu de ciboulette et d'oignon (séchés ou frais).

INSTRUCTIONS :

 Mélange la mayonnaise et le yaourt dans un petit bol, puis ajoute la ciboulette et l'oignon.

 Mets les 3D, les poissons, les bretzels et les noix dans un bol plus grand.

 Verse la sauce dans le grand bol et mélange.

 Conserve le tout dans un récipient hermétique ou dans un sac refermable.

Anecdotes
de licornes

La licorne a beau être une créature fictive, elle fait partie des animaux officiels de l'Écosse et elle figurait sur les armoiries du pays dans les temps médiévaux. (L'autre animal officiel est le lion rouge, qui se trouve sur le bouclier et sur le cimier du casque.)

L'université d'État de Lake Superior aux États-Unis (via son département des Licornes sauvages des chasseurs de licornes) délivre des permis de chasseur de licorne. Téléchargeable ici : www.lssu.edu/banished/uh_license.php.

Les licornes apparaissent dans les arts et croyances populaires dès l'Antiquité, et à différents endroits, comme la Chine, la Grèce et la France. Une des illustrations les plus connues de licornes reste la *Chasse à la Licorne*, une série de sept tapisseries qui est exposée aux Cloisters (les Cloîtres), un des départements du *Metropolitan Museum of Art* de New York. Tu peux les voir et en apprendre davantage sur elles ici : www.metmuseum.org/collections/search-the-collections/467642.

En France, nous avons aussi la Dame à la Licorne, que tu peux voir à Cluny !

Crée ta propre bande dessinée

La bande dessinée *Lucie et sa licorne* commence quand Lucie rencontre Rosemarie et qu'elles deviennent amies. Pense à la façon dont tu as rencontré l'un(e) de tes meilleur(e)s ami(e)s et dessine une BD dessus.

MATÉRIEL : feuille de papier blanche, crayons, feutres ou crayons de couleurs.

INSTRUCTIONS :

 Trace trois cases de BD vides.

 Inspire-toi de l'exemple ci-dessus en analysant comment Dana Simpson plante le décor de la rencontre et comment elle la termine avec une chute.

 Une fois que tu as choisi l'histoire que tu veux raconter, dessine-la en trois cases. N'oublie pas, il doit y avoir un début, un milieu et une fin.

 Dans la première case, donne un nom à ta BD.

> — *Nous allons être amis pour toujours, n'est-ce pas, Winnie ?* demande Porcinet.
> — *Plus longtemps encore, répond Winnie.*
> — Winnie l'Ourson

Lucie et Sa Licorne

Comme sur des roulettes

Dana Simpson

404
EDITIONS

Lucie et Sa Licorne

Comme sur des roulettes

Quoi de plus magique qu'une licorne sur des patins à roulettes ? L'amitié de Lucie et de la licorne Rosemarie de Céleste Museau !

Cela fait maintenant un an qu'elles se sont rencontrées. Après *Lucie et sa licorne*, voici le deuxième tome de leurs aventures farfelues ! Devenues meilleures amies, elles partagent leurs secrets les plus secrets, leurs mystères les plus magiques, et leurs répliques les plus raffinées.

Dana Simpson

Lucie et Sa Licorne

Licorne contre Gobelins

Dana Simpson

404
EDITIONS

Lucie et Sa Licorne

Licorne contre Gobelins

L'école est terminée… mais pas les surprises !

Entre la guerre continue que Lucie livre à son ennemie Dakota, son agence de détective avec sa licorne Rosemarie, une semaine au camp de musique Wolfgang, l'été n'est pas de tout repos ! Mais Lucie se fait aussi de nouveaux amis : Sue et la sœur de Rosemarie, Florence. Pendant l'été, Lucie et Rosemarie vont apprendre que l'amitié est la deuxième chose la plus magique au monde ! Après la beauté naturelle de Rosemarie, bien sûr !

Dana Simpson

404
EDITIONS

Lucie et Sa Licorne
Paillettes et poudre aux yeux

Bisous de Lucie

POT À CRAYONS

404 ÉDITIONS

Dana Simpson

Lucie et Sa Licorne

Paillettes et poudre aux yeux

Lucie et Rosemarie sont de retour,
plus scintillantes que jamais !

Encore une année bien remplie pour Lucie et sa licorne,
avec une chambre en désordre qui disparaît, un nouvel été au camp de
musique Wolfgang et un mystérieux cas de « rhume des paillettes » !
Jamais à court d'idées, les deux meilleures amies ont bien compris
qu'être bizarre, c'est tellement plus amusant !

Dana Simpson

404
EDITIONS

Lucie et Sa Licorne
Attention, traversée de licorne !

404
ÉDITIONS

Dana Simpson

Lucie et Sa Licorne
Attention, traversée de licorne !

Vous avez dit « vacances » ?

Le temps passe vite avec Lucie et Rosemarie ! Suivons-les dans leur expérimentation d'une soirée d'Halloween pas très effrayante, lors de journées enneigées d'hiver, ou en vacances à la plage ! Grandir est un voyage parfois difficile, mais en route, Lucie et Rosemarie découvrent quelque chose d'encore plus fort que la mode des Gobelins, le spa licornien ou le *Sort d'oubli* : leur amitié.

Dana Simpson

404
EDITIONS

Déjà paru :

Lucie et Sa Licorne
La tempête magique
Dana Simpson
404 éditions

Lucie et Sa Licorne

La tempête magique

Attention, il y a de la tempête magique dans l'air !

L'heure est grave pour Lucie et sa licorne : alors qu'une tempête s'abat sur la ville, Rosemarie ne capte plus aucune magie. Il est temps pour nos deux amies préférées d'enquêter sur ce mystérieux phénomène et, aidées de Max et Dakota, de sauver la ville de la tempête magique du siècle !
Retrouvez Lucie et sa licorne Rosemarie de Céleste Museau dans un nouveau tome hilarant !

Dana Simpson

404
EDITIONS

Lucie et sa Licorne

Une licorne aux multiples casquettes

404
ÉDITIONS

Dana Simpson

Lucie et sa Licorne

Une licorne aux multiples casquettes

Rosemarie n'est vraiment pas une licorne ordinaire.

Entre sa passion des applis qu'elle télécharge avec sa corne Wi-Fi et ses heures de baby-sitting, elle publie des articles dans des revues universitaires ! Rosemarie est douée pour beaucoup de choses… sauf la modestie !
Dans ce tome hilarant, Lucie et sa licorne vont devoir relever de nouveaux défis : trouver ce que c'est qu'être « cool », comprendre un peu mieux l'amitié, et retarder autant que possible les devoirs de vacances.
Cette rentrée s'annonce épique !

Dana Simpson

404
ÉDITIONS

www.404-editions.fr
404 éditions, un département d'Édi8
92 avenue de France, 75013 Paris

© 2014 Dana Simpson
Publié pour la première fois par Andrew McMeel Publishing,
une société d'Andrew McMeel, sous le titre de *Phœbe and her Unicorn*.

© 2016 404 éditions, pour l'édition française

Traduction : Chloé Seyrès
Corrections et relectures : Anne-Lise Martin
Maquette : Ivana Vukojicic

Loi n°49-956 du 16 juillet 1949 sur les publications destinées à la jeunesse,
modifiée par la loi n°2011-525 du 17 mai 2011.

ISBN : 979-1-0324-0108-8
Dépôt légal : février 2017
7ème édition. Achevée d'imprimer en janvier 2021
Imprimé en Espagne